6 这是我的书 It's MY BOOK 6级：300字

父与子

老师回信

原作：埃·奥·卜劳恩（E. O. Plauen）
文字编配：程以克（Vicki Cheng）
插图修配：乔　剑（Jian Qiao）

北京语言大学出版社
BEIJING LANGUAGE AND CULTURE UNIVERSITY PRESS

PHOENIX TREE
PHOENIX TREE PUBLISHING INC.

识　读　写信　老师　电话　生气

句　型　……在哪里？

字　数　308 字

xià tiān bà ba hé ér zi qù yě yíng liǎng rén zǒu dào hěn yuǎn
夏天，爸爸和儿子去野营。两人走到很远

de dì fang kàn jiàn le dà hǎi tā men bù zhī dào zhè shì shén
的地方，看见了大海，他们不知道这是什

me dì fang yě huí bu liǎo jiā le bà ba shuō wǒ men lái
么地方，也回不了家了。爸爸说：“我们来

gěi lǎo shī xiě fēng xìn ba wèn wen tā wǒ men zěn me huí jiā
给老师写封信吧，问问他我们怎么回家。”

bà ba bǎ xiě hǎo de xìn fàng jin yí gè píng zi li yòng
爸爸把写好的信放进一个瓶子里，用
lì bǎ píng zi rēng dào dà hǎi li shuō píng zi huì
力把瓶子扔到大海里，说：“瓶子会
yóu yǒng tā huì yóu dào wǒ men jiā nà li lǎo shī kàn
游泳，它会游到我们家那里。老师看
dào xìn jiù néng zhǎo dào wǒ men le bà ba hái shuō
到信，就能找到我们了。”爸爸还说：
yǐ qián méi yǒu diàn huà rén men dōu shì zhè me zuò de
“以前没有电话，人们都是这么做的。”

tiān hēi le bà ba zhǐ hǎo bào zhe ér zi yì qǐ

天黑了，爸爸只好抱着儿子一起

shuì píng zi zài hǎi li piāo a piāo piāo zǒu le

睡。瓶子在海里漂啊漂，漂走了……

zǎo shang tài yáng yì chū lai bà ba hé ér zi jiù
早上，太阳一出来，爸爸和儿子就
qù hǎi biān zhǎo píng zi kàn kan lǎo shī yǒu méi yǒu
去海边找瓶子，看看老师有没有
huí xìn hǎo duō tiān guò qu le tā men dōu méi yǒu
回信。好多天过去了，他们都没有
kàn dào píng zi
看到瓶子……

à jīn tiān hǎi li yǒu gè píng zi ér zi gāo
啊！今天海里有个瓶子！儿子高
xìng de jiào qi lai bà ba bà ba lǎo shī huí
兴地叫起来："爸爸，爸爸，老师回
xìn le
信了！"

dǎ kāi píng zi lǐ miàn zhēn de yǒu yì fēng xìn ér zi
打开瓶子，里面真的有一封信。儿子
shuō kuài kàn kan lǎo shī xiě le shén me xìn shang xiě
说：“快看看，老师写了什么？”信上写
zhe qǐng gào su wǒ nǐ men zài nǎ li lǎo shī
着：“请告诉我你们在哪里。老师：
mài kè ér zi wèn lǎo shī shuō shén me
迈克”儿子问：“老师说什么？”

bà ba shēng qì de shuō tā wèn wǒ men zài shén me
爸爸生气地说：“他问我们在什么
dì fang ér zi shuō wǒ men yě bù zhī dào
地方。”儿子说：“我们也不知道
a yào shi yǒu diàn huà jiù hǎo le
啊！要是有电话就好了！”

1 夏天，爸爸和儿子去野营。两人走到很远的地方，看见了大海，他们不知道这是什么地方，也回不了家了。爸爸说：“我们来给老师写封信吧，问问他我们怎么回家。”

2 爸爸把写好的信放进一个瓶子里，用力把瓶子扔到大海里，说：“瓶子会游泳，它会游到我们家那里。老师看到信，就能找到我们了。”爸爸还说：“以前没有电话，人们都是这么做的。”

3 天黑了，爸爸只好抱着儿子一起睡。瓶子在海里漂啊漂，漂走了……

4 早上，太阳一出来，爸爸和儿子就去海边找瓶子，看看老师有没有回信。好多天过去了，他们都没有看到瓶子……

5 啊！今天海里有个瓶子！儿子高兴地叫起来：“爸爸，爸爸，老师回信了！”

6 打开瓶子，里面真的有一封信。儿子说：“快看看，老师写了什么？”信上写着：“请告诉我你们在哪里。老师：迈克”儿子问：“老师说什么？”

7 爸爸生气地说：“他问我们在什么地方。”儿子说：“我们也不知道啊！要是有电话就好了！”

1
老师，
我和儿子
回不了家了。
怎么办？

2

3

4

5

6
请告诉我
你们在哪里。
老师：迈克

看图讲故事

7